MARSUPILAMI

SUR LA PISTE DU MARSUPILAMI

Dessins : **Batem**, **Colman**
Scénario : adaptation par **Colman** du scénario original d'**Alain Chabat** et **Jeremy Doner**
Couleurs : **Cerise**
D'après l'œuvre d'**André Franquin**

MARSU  PRODUCTIONS

Scénario original d'Alain Chabat et Jeremy Doner

Marsu Productions remercie vivement
Jamel Debbouze, Alain Chabat, Frédéric Testot,
Lambert Wilson, Géraldine Nakache, Liya Kebede, Patrick Timsit,
Jacques Weber, Aïssa Maïga et Jade Nuckcheddy.

Une coproduction Chez Wam - Pathé - TF1 Films Production - Scope pictures

© Marsu Productions S.A.M.
Tous droits de traduction, reproduction et adaptation réservés pour tous pays.

Dépôt légal : avril 2012
ISBN : 978-2-35426-071-2
ISSN : 1011-3819

L'éditeur remercie tout particulièrement Alain Chabat, Michèle Darmon, Christine Rouxel et Serdu,
pour leur grande implication dans cet album.

POULS À 15, BOUTS DES PLUMES MOITES, CROUPION DÉJÀ FROID!

JE VAIS TENTER LE BOUCHE-À-BEC DE LA DERNIÈRE CHANCE!

PFFFT!... PPFFT... PFFFFT!...

ÊÊÊRK!!... KIKI!

JE SUIS LE MEILLEUR RÉPARATEUR EN PERROQUETS DE TOUTE L'AMÉRIQUE DU SUD DU MONDE!...

LES ANIMAUX M'ADORENT...

...ÇA FAIT 5247 PALOMBOS, TOUT ROND!

TU ME LES ACHÈTERAS QUAND, MES CAHIERS, PAPA?

ON T'A ENCORE FAIT GAGNER DE L'ARGENT, KIKI ET MOI!

3A.

CASSANDRA, ARRÊTE DE COLORIER TON FRÈRE!

J'ARRÊTERAI QUAND J'AURAI MES CAHIERS POUR COLORIER DEDANS!

ÇA SUFFIT! JE T'ACHÈTERAI TOUS LES CAHIERS QUE TU VEUX QUAND J'AURAI REMBOURSÉ MATHÉO!!

T'ES QU'UN MENTEUR!

JE-NE-SUIS-PAS-UN-MENTEUR!

3B.

SI, TU ES UN MENTEUR! TU MENS POUR MES CAHIERS COMME TU AS MENTI POUR LE MARSUPILAMI!...

TU MENS TOUT LE TEMPS!

LE MARSUPILAMI EXISTE!! J'AVAIS TON ÂGE QUAND JE L'AI RENCONTRÉ!...

...TU VEUX REVOIR MA PREUVE?!

...LES DENTS DU MARSUPILAMI! AUCUNE AUTRE INCISIVE AU MONDE N'A CETTE FORME!...

JE MARCHAIS DANS LA JUNGLE, À LA RECHERCHE DE CETTE BALLE DE BASE-BALL QUE J'AVAIS PERDUE !...

QUAND SOUDAIN, JE LA VOIS POSÉE SUR UN TRONC D'ARBRE COUCHÉ EN TRAVERS D'UN RIO INFESTÉ DE PIRANHAS !...

JE RAMPE AU PÉRIL DE MA MORT POUR LA RÉCUPÉRER, ET LÀ...

TU GLISSES ET UN MARSUPILAMI T'A SAUVÉ LA VIE.

PARFAITEMENT ! IL M'A RATTRAPÉ AVEC SA QUEUE ET M'A DÉPOSÉ SUR LA BERGE...

MYTHO !

ENSUITE, IL A PRIS MA BALLE, L'A CROQUÉE COMME UNE POMME ET A RECRACHÉ CE MORCEAU !

ON LA CONNAÎT PAR CŒUR, TON HISTOIRE !

ET IL S'EST PASSÉ QUOI, APRÈS, PUISQUE VOUS ÊTES SI MALINS ?!

LE MARSUPILAMI A DISPARU ET TU NE L'AS JAMAIS REVU !

?

MYTHO !!

AU MÊME INSTANT, À 9002 KILOMÈTRES DE CHIQUITO...

NOUS AVONS UN SOUCI, DAN...

VOTRE ÉMISSION EST LA MOINS RENTABLE DE LA CHAÎNE !...

ET ?...

SOIT VOUS FAITES UN CARTON MARDI PROCHAIN, SOIT VOUS FAITES VOS CARTONS !

FAIRE MES CARTONS ???...MOI, DAN GÉRALDO ??!...MOI QUI AI INTERVIEWÉ LES PLUS GRANDS ?!... MOI QUI AI FAILLI MOURIR 1000 FOIS SUR TOUS LES FRONTS ?!?...

PALOMBIE... ÇA VOUS DIT ENCORE QUELQUE CHOSE ?... OU CE PAYS VOUS A-T-IL SIMPLEMENT SERVI À LANCER VOTRE CARRIÈRE ?

VOUS SOUVENEZ-VOUS DE CECI ?

KLIK!

IL Y A 16 ANS, CE HÉROS RISQUAIT SA VIE POUR VOUS INFORMER...

ICI, DAN GÉRALDO, AU COEUR DE L'EFFROYABLE JUNGLE PALOMBIENNE!

PAW! TAKTAK...TAK!...

5A

...À QUELQUES KILOMÈTRES DE CHIQUITO, LA GUÉRILLA FAIT RAGE ET... AAAAH!...JE...JE SUIS TOUCHÉ!!

PAK! BOM! TAK!!

PAW!

PAK!

POUR LES 16 ANS DE "V8", SA CÉLÈBRE ÉMISSION, DAN GÉRALDO REPART SUR LE TERRAIN!

MARDI PROCHAIN, NE RATEZ PAS "V8" EN DIRECT DE CHIQUITO!

C'EST PAS MAL, COMME BANDE-ANNONCE...

...MAIS POURQUOI VOULEZ-VOUS QUE JE RETOURNE LÀ-BAS ?

DAN GÉRALDO

TV 2

V8

www.TV2.com

LES PAYAS!

LES MAYAS!?

LES PAYAS!!

LES PAYAS?... COMME "PAILLASSON" MAIS SANS LE "SON"?...

VOUS Y ÊTES, LES PAYAS!

5B.

LES PAYAS DÉFIENT LES LOIS DE LA NATURE. ON RACONTE QUE LES MEMBRES DE CETTE TRIBU VIVENT JUSQU'À TROIS, VOIRE QUATRE CENTS ANS!

PERSONNE, À CE JOUR NE LES A JAMAIS RENCONTRÉS, ET ENCORE MOINS PERCÉ LE SECRET DE LEUR FABULEUSE LONGÉVITÉ.

NOUS AVONS UN CONTACT À CHIQUITO QUI NOUS A OBTENU L'INTERVIEW DU PLUS VIEUX D'ENTRE EUX. VOUS PARTEZ AUJOURD'HUI, DAN!

?!?

VOICI "PABLITO CAMARON", VOTRE GUIDE. LE MEILLEUR, PARAÎT-IL!

À DROITE, OU À GAUCHE ?

6A.

6B.

6C

8

J'ENRAGE! JE NE PEUX TOUT DE MÊME PAS PARTIR À LA RETRAITE SANS SAVOIR QUELLE PLANTE DÉGAGE UN TEL TAUX D'IRIDIUM.!!

C'EST DEMAIN... VOUS TROUVEREZ PEUT-ÊTRE CE SOIR!

JE N'AI PAS DE TEMPS À PERDRE, ET LA SOLUTION NE VA PAS TOMBER DU CIEL...

?!

POF!

Biiiip! Bii Biiii

Biiii... Biiiip! Biiiiip...

QUE... QUELLE EST CETTE ESPÈCE D'ORCHIDÉE?!?

UNE MAXILLARIA?

NON, LES MAXILLARIAS ONT LES TÉTRABULBES MOINS RAMASSÉS.

UNE GONGONORA JAUNE?

PAS D'AVANTAGE, PÉTUNIA. JE... JE CROIS QUE...

MOI, HERMOSO, JE VIENS DE DÉCOUVRIR LE GRAAL DE TOUT BOTANISTE.!...

... UNE ORCHIDÉE PARFAITEMENT INCONNUE.!!

MON NOM RESTERA À JAMAIS DANS L'HISTOIRE... HA, HA, HA.!!

JE L'APPELLERAI "ORCHIDUS HERMOSOÏD".!

VOUS ÊTES SÛR DU NOM, PROFESSEUR?

PALOMBIAN WORLD AIRWAYS

CHIQUITO AEROP

9

11

MATHÉO!... QUELLE BONNE SURPR...

PAF! ★

COMBIEN IL NOUS DOIT, DÉJÀ?!

160.000 PALOMBOS!

KIKI!

JE VAIS TE REMBOURSER, MATHÉO! JE SUIS SUR UN PLAN PLANIFIÉ À L'AVANCE!...

AVEC QUI?... LE MARSUPILAMI?

11A

TU AS L'ARGENT MARDI, TA GAMINE REVOIT SON PIAF! TU NE L'AS PAS...

ELLE REVOIT PAS SON PIAF!

C'EST PAS CE QUE JE VOULAIS DIRE!... JE VOULAIS DIRE UN TRUC PLUS MENAÇANT. EMBUTIDO!

KIKI!

ON ÉTAIT À L'ORPHELINAT ENSEMBLE, MATHÉO!

MAIS PAS À LA MORGUE, PABLITO, PAS À LA MORGUE!

11B

ILS VONT TUER KIKI, PAPA?

PERSONNE NE VA TUER KIKI, MON TRÉSOR! JE TROUVERAI L'ARGENT.

CARAMBITA! LES CHACALOS DE POCHERO ONT DÛ ENFERMER MON "PIGEON" DANS LA PRISON DU PALAIS. JE DOIS ABSOLUMENT TROUVER UN MOYEN POUR LE SORTIR DE LÀ!

13

PLAF!

PITIÉ!

PITIÉ, MOI AUSSI!

? ?!! ?

?!! ¿¡¡

...COUCHOMBAKITA ENCORE!...

COUCHOMBAKITA SÈME LA PANIQUE DANS LES RANGS DES DÉFENSEURS ADVERSES...

13B.

IL NOUS FIXE. IL NOUS FIXE. IL NOUS FIXE.

ON EST FIXÉS!

JE N'AI RIEN À FAIRE ICI, MOI, JE SUIS JOURNALISTE ET J'AI UN DIRECT MARDI PROCHAIN!

ÇA M'ÉTONNERAIT...

...LES GARDES À VUE DURENT SIX MOIS, ICI!

ILS...ILS N'ONT PAS UNE TRÈS BONNE VUE!

SORTEZ-MOI DE LÀ... J'AI DE L'ARGENT!

ÇA PEUT ÊTRE DANGEREUX!

OK!...LAISSEZ TOMBER!

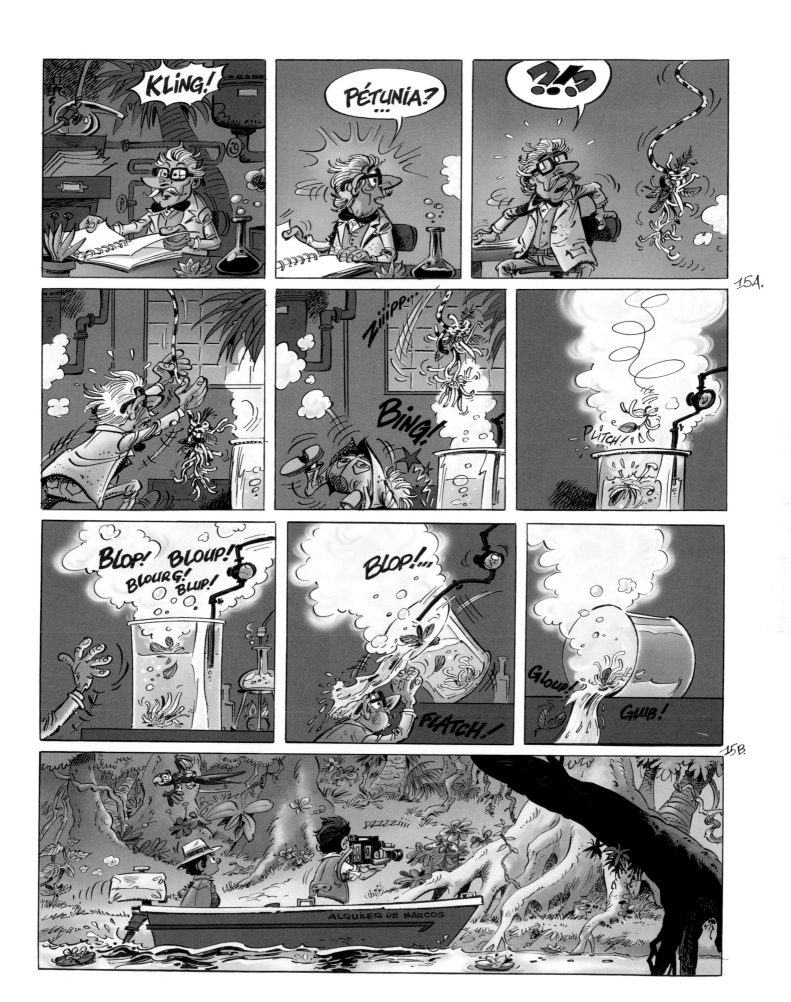

ICI, DAN GÉRALDO POUR "V8". SUR UNE EMBARCATION DE FORTUNE, JE M'ENFONCE AU CŒUR DU REDOUTABLE TERRITOIRE PAYA...

JE DESCENDS LE MAJESTUEUX FLEUVE CHICXULUB.

MON GUIDE, PABLITO CAMARON, CHÉTIF, MAL NOURRI ET PROBABLEMENT ILLETTRÉ, SEMBLE TÉTANISÉ PAR LA PEUR...

JE VOUS ENTENDS, À CETTE DISTANCE.!

... ENTRE LA DICTATURE DE POCHERO ET LES DANGERS DE LA JUNGLE, CE PEUPLE TREMBLE!

16A

J'AI TOUT FAIT AVEC CETTE "V8" DONT MON FAMEUX PREMIER REPORTAGE EN PALOMBIE.

OÙ ?

QUOI ?

OÙ ÇA, EN PALOMBIE ?.., LA VALLÉE DU ZOLTEC ? L'EL SOMBRERO.? LE COUCHOM-BAKITA.?

HEU... LE COUCHOMBAKITA, C'EST ÇA.!

IL...IL Y A UN PROBLÈME.?!

CHHFT...

C'EST TRÈS DANGEREUX, MAINTENANT, NOUS SOMMES SANS DOUTE OBSERVÉS.!

VOUS AVEZ DÉJÀ ENTENDU PARLER DES SACRIFICES RITUELS PAYAS ?

ILS ARRACHAIENT LES YEUX, MANGEAIENT LES LANGUES ET ENTERRAIENT LES SACRIFIÉS VIVANTS... JE SAIS.

VOUS AVEZ L'AIR BIEN DÉTENDU POUR QUELQU'UN QUI SAIT!

C'ÉTAIT IL Y A 10.000 ANS.!

16B

QUAND ON VIT 400 ANS, ÇA NE FAIT PAS BEAUCOUP DE GÉNÉ-RATIONS.! NOUS DEVONS CONVENIR D'UN SIGNAL AU CAS OÙ ON SERAIT SÉPARÉS. UN CRI D'ANIMAL, PAR EXEMPLE.

J'IMITE PAS TROP MAL LE CANARD...

VOUS AVEZ DÉJÀ VU UN CANARD DANS LA JUNGLE, VOUS.?!

UN SEUL "COIN-COIN" ET VOUS SEREZ CONFIT EN MOINS DE DEUX! VOUS N'AVEZ PAS AUTRE CHOSE EN RAYON ?

JE... JE FAIS ASSEZ BIEN L'ÂNE, AUSSI.!

JE SAIS!

17A.

17B.

19

18A.

18B.

SALUT À TOI, Ô NOBLE PAYA... JE TE REMERCIE DE ME RECEVOIR DANS TA CHARMANTE DEMEURE!

MOUSTACHE GRACIAS.!

ÊTES-VOUS PRÊT POUR UNE PETITE INTERVIEW?... VOTRE PAROLE GAGNERA TOUTES LES FORÊTS DU MONDE, GRÂCE À CETTE BOÎTE MAGIQUE...

19A.

IL N'Y A PAS DE MAQUILLEUSE, JE SAIS, NOUS NE FERONS QUE DEUX OU TROIS PLANS TRÈS "NATURE".!

MOI, TRÈS VIEUX ET TRÈS FATIGUÉ...TROIS QUESTIONS ET PUIS PARTIR!

TROIS QUESTIONS SEULEMENT ?!...

OUI! PLUS QUE DEUX.!

FACE AU GRAND MANITOU DANS L'ENFER DES PAYAS, DAN GERALDO POUR "V8"...

BZZZZZ

VOTRE EXPÉRIENCE EST UNE INSPIRATION POUR NOUS.! QUEL MESSAGE AIMERIEZ-VOUS TRANSMETTRE AUX GÉNÉRATIONS FUTURES?

LA VIE EST UN TOUCAN.!

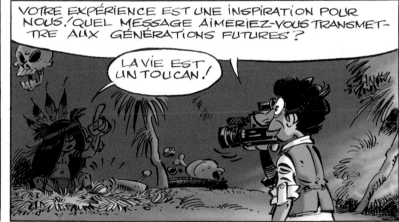

19B.

UN TOUCAN?...

OUI!... ET C'ÉTAIT VOTRE DERNIÈRE QUESTION.!

JE VAIS QUAND MÊME VOUS EN POSER DEUX AUTRES.!

POURQUOI PARLEZ-VOUS SI BIEN NOTRE LANGUE?

JE...J'AI DES AMIS À GRENOBLE!

ET ÇA VOUS FAIT QUOI DE PERDRE 160.000 PALOMBOS?

C'EST FINI, LES ENFANTS! OUSTA!

JE CROYAIS QUE VOUS N'AVIEZ PAS D'ENFANTS!?

JE N'EN AI PAS... ENFIN, C'EST COMPLICADO!

C'EST ÇA LE PROBLÈME AVEC LES MENSONGES, ON DIT UN TRUC ET APRÈS, IL FAUT INVENTER AUTRE CHOSE ET C'EST DE PLUS EN PLUS COMPLIQUÉ... VOUS N'ÊTES QU'UN SALE MENTEUR!

JE NE SUIS PAS UN SALE MENTEUR!

JE-NE-SUIS-PAS-UN-MENTEUR.!!...

NE BOUGEZ PLUS.!... OUI! ÇA PEUT LE FAIRE!

REMETTEZ VOTRE PERRUQUE ET DITES UN TRUC MENAÇANT.

POF!

VOUS AVEZ UNE SARBACANE POINTÉE SUR VOTRE NUQUE!

C'EST PAS MAL. EN ENCORE PLUS MENAÇANT!

VOUS AVEZ VRAIMENT UNE SARBACANE POINTÉE SUR VOTRE NUQUE.!!

CE N'EST PAS PARCE QUE VOUS RAJOUTEZ DES MOTS QUE ÇA FAIT PLUS MENAÇANT.

?!

BRAVO POUR LA MISE EN SCÈNE, C'EST QUI, LUI... UN ONCLE? UN COUSIN?

22

21A.

21B.

23

BOM! BOM! BOM! BOM! BOM!... BOM!... BOM!... BOM!...

LE... LES ANIMAUX M'ADORENT.

TATOUM ONIL YACHUNIL AFAH AFAH! BOLO MAXULUNTI CHICABOOM PAYA!

ZACAB... KOUIKA, KOUIKA!

NE PARTEZ PAS, MADEMOISELLE!!!... JE SUIS DAN GÉRALDO, LE CÉLÈBRE JOURNALISTE! JE... JE SUIS UNE PERSONNE TRÈS IMPORTANTE DANS MA TRIBU ET...

ET IL ME DOIT 160.000 PALOMBOS!

23.A

PAAARFAIT!

QUE FAITES-VOUS LÀ, MONSIEUR ?!... CETTE SERRE EST INTERDITE AUX PERSONNES NON-AUTORISÉES !

BONJOUR, PÉTUNIA !

ON... ON SE CONNAÎT ?!

VOUS NE ME RECONNAISSEZ PAS ?

IL NE FAUT PAS RESTER ICI, MONSIEUR !

23.B

ET LES MAXILLARIA, LES GONGONORA JAUNES... PEUVENT-ELLES RESTER ?

MMMHH... VOUS SENTEZ L'ENCYCLIA !

CE... C'EST MON ORCHIDÉE PRÉFÉRÉE...

JE SAIS !

CES FLEURS ÉMETTENT UN PARFUM IRRÉSISTIBLE POUR ATTIRER L'INSECTE QUI DOIT LES POLLINISER.

LE... LE PROFESSEUR HERMO-SO POURRAIT NOUS SURPRENDRE ET...

AAAAHHH.!ζ

24A

24B

28

GRAND ARBRE A TROUVÉ L'ENFANT PAS PAYA QUI JOUE AVEC LA COIFFE ET L'HOMME À LA MAIN CARRÉE. LE FEU QUI VIT DANS LE VENTRE DE LA TERRE ET LA PIERRE DE LUMIÈRE VONT PARLER.

SI L'ORCHIDÉE DE CHICXULUB DISPARAÎT, ALORS DISPARAÎTRONT LES DERNIERS MARSUPILAMIS.

27A

APRÈS EUX, LE COLIBRI.

ENSUITE, LES HOMMES!

CAR UN ÊTRE AU VISAGE DOUBLE EST ARRIVÉ. IL VEUT LA FLEUR DE VIE ET SA FAIM EST INSATIABLE.

MAIS, L'HOMME-ENFANT PAS PAYA ET LE MENTEUR À LA MAIN CARRÉE PEUVENT TOUT CHANGER EN REDONNANT LE POUVOIR À LA FEMME D'OR ET D'ARGENT.

C'EST DINGUE, CE TRUC!

SILENCE! SI LES ÉLUS ÉCHOUENT, LA MONTAGNE EN COLÈRE CRACHERA LE FEU PENDANT MILLE ANS ET LA TERRE SERA PLONGÉE DANS UN SOMMEIL ÉTERNEL!

27B

VOUS ÊTES LES ÉLUS DE LA PROPHÉTIE!... VOUS ÊTES LES ENVOYÉS DE CHICXULUB!

28A.

28B.

30

ALORS, CAPORAL... ÇA DONNE QUOI ?

C'EST, PARFAIT ! LE POINT JAUNE QUI CLIGNOTE REPRÉSENTE LE MARSUPILAMI. ON SAURA TOUJOURS OÙ IL SE TROUVE.

MERVEILLEUX !

29A.

C'EST QUAND MÊME INCROYABLE, CES NOUVEAUX TRUCS !

J'AI MÊME L'APPLICATION "DEAD PLANET" POUR VOIR LES ESPÈCES QUI DISPARAISSENT, EN TEMPS RÉEL !

LA FOURMI BLEUE DU BRÉSIL, PAR EXEMPLE, 1587, 1266, 122,8...ET "POUF !" ÇA Y EST ! IL N'Y A PLUS DE FOURMIS BLEUES AU BRÉSIL !

FORMIDABLE ! QUELLE TECHNOLOGIE.

QUE COMPTEZ-VOUS FAIRE AVEC CETTE PAUVRE BÊTE ?

LA CAPTURER ET LA DRESSER POUR QU'ELLE ME RAMÈNE DE JOLIES ORCHIDÉES

CET ANIMAL EST EN VOIE DE DISPARITION ! AVEZ-VOUS PENSÉ QUE VOUS POURRIEZ METTRE SA VIE EN DANGER ?!?

CET ANIMAL N'EST MÊME PAS EN VOIE D'APPARITION. QU'IL DISPARAISSE OU PAS NE CHANGERA RIEN !

C'EST VRAI, IL N'APPARAÎT MÊME PAS SUR MON IPOUDE !

29B.

JE NE VOUS RECONNAIS PLUS, PROFESSEUR !

ET VOUS, CAPORAL... ME RECONNAISSEZ-VOUS ENCORE ?

OUI, MAIS EN PLUS JEUNE ET PLUS BEAU !

VOUS SAVEZ QUE VOUS AVEZ L'ÉTOFFE D'UN COLONEL, VOUS !

ON PEUT ENTRER.?

?

CAPORAL.?!... QUI EST CET HOMME.?

TOP.!... JE SUIS NÉ IL Y A 82 ANS AU BRETZELBURG. J'ARRIVE EN PALOMBIE À L'ÂGE DE 5 ANS. BOTANISTE ÉMÉRITE, JE SUIS TRAITÉ COMME UN CHIEN PAR LES POCHERO SENIOR ET JUNIOR. JE RAJEUNIS DE 50 ANS ET DU COUP, NE PRENDS PLUS MA RETRAITE...

...MON NOM SIGNIFIE "BEAU" EN ESPAGNOL. JE SUIS.?... JE SUIS.?...

HERMOSO!!

PROTCH.!

VOUS N'IREZ MALHEUREUSEMENT PAS EN FINALE.... C'ÉTAIT FACILE, POURTANT!

HE...HERMOSO.?!? LE JARDINIER.?!

31A.

31B.

32A.

32B.

34

ON...ON A ÉTÉ DROGUÉS PAR CES PAYOTTES...

J'AI LA LANGUE VERTE!

ON EST OÙ, LÀ? JE NE RECONNAIS PAS CE COIN DE JUNGLE!

COMMENT ÇA, VOUS NE CONNAISSEZ PAS?! ON EST PERDUS, C'EST ÇA?!?

SILENCE!... J'ESSAYE DE ME RAPPELER LA PROPHÉTIE!

MAIS ON S'EN FOUT DE LA PROPHÉTIE!! JE SUIS UN V.I.P., MOI... ET JE VEUX RENTRER CHEZ MOI! VOUS ÊTES MON GUIDE, ALORS VOUS ME GUIDEZ!

VOUS VOULIEZ VOIR LES PAYAS, VOUS AVEZ VU LES PAYAS.

VOUS ME DEVEZ 160.000 PALOMBOS.

VOUS NE LES VERREZ JAMAIS, VOS PALOMBOS!

JAMAIS?

JAMAIS!

J'ESPÈRE QUE L'ENDROIT VOUS PLAÎT, PARCE QUE C'EST ICI QUE VOUS ALLEZ MOURIR! SANS MOI, VOUS NE FEREZ PAS UN MÈTRE DE PLUS!

ICI, LES MYGALES NE PIQUENT PAS, ELLES VOUS BROUTENT!

JE PRÉFÈRE ÊTRE SEUL QU'AVEC UN MENTEUR!

JE-NE-SUIS-PAS-UN-MENTEUR!

DITES BONJOUR AUX MYGALES POUR MOI!
...

SI VOUS EN AVEZ LE TEMPS!

"ON S'EN FOUT DE LA PROPHÉTIE !... IL EST FOU, CE GRINGO !

L'ENFANT PAS PAYA QUI JOUE AVEC LA COIFFE, C'EST MOI !...

LA MAIN À LA TÊTE CARRÉE, C'EST LUI ! ...IL S'EN FOUT PEUT-ÊTRE DE LA PROPHÉTIE, SAUF QU'ON EST EN PLEIN DEDANS !

?!?

?!? ...

HOUBA, HOP !

LE MARSUPILAMI !! ATTENDS !!

JE SUIS TON AMI !... JE...

?!? ...

AAAHHH!!!

TCHOK !

36A.

36B.

38

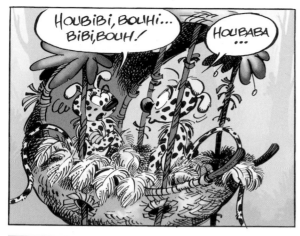

37A.

37C

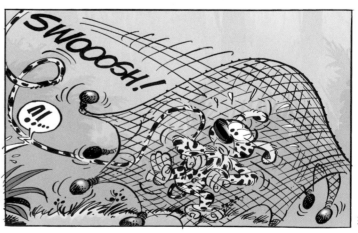

37D.

IL Y A UN LÉGER MALENTENDU, LÀ. JE SUIS CERTAIN QUE NOUS POUVONS...

PABLITO!

OUPS!

OUPS!

J'ALLAIS LE DIRE!

40A.

KA-BOOOM

HOUBIII BOOUUHH...

KLANG!

VIVA LA MUERTE

40B.

GÉNÉRAL POCHERO!

MON PROCHAIN REPORTAGE, JE LE FAIS SUR LES DAUPHINS!...

J'AI PIQUÉ ÇA AU GARDIEN!... TENEZ!

POUR QUOI FAIRE?

POUR APPELER QUELQU'UN AU SECOURS...POUR NOUS SORTIR DE LÀ! VOUS ÊTES QUAND MÊME LE CHEF DES ARMÉES!

JE NE SUIS PLUS LE GÉNÉRAL POCHERO!...

MIRACLE ! MA FIDÈLE "V8" M'A SAUVÉ LA VIE !... REGARDEZ CET IMPACT DE BALLE !!

C'EST BON, LÀ ?... NON, C'EST PAS BON ?

CE N'EST PAS UN PEU DÉBILE, LE COUP DE LA CAMÉRA ?

ON FAIT UNE PAUSE, LES GARS. ARRÊTEZ LES EXPLOSIONS DE PÉTARDS !

LES "TAK, TAK" AUSSI !

TAK ! TAK !

IL FAUDRAIT PEUT-ÊTRE RAJOUTER UN PEU DE KETCHUP, NON ?

KETCHUP

PAK !

42.A.

C'ÉTAIT LA 5ème PRISE SUR 12 !... VOUS EN VOULEZ D'AUTRES ?!

JE... JE PEUX TOUT EXPLIQUER !

QUOI ?... QUE VOUS AVEZ PRIS LES TÉLÉSPECTATEURS, LA CHAÎNE ET VOTRE PÈRE POUR DES TRUFFES ?!!

VOUS AVEZ UN DIRECT DANS 20 MINUTES ! JE VOUS CONSEILLE D'Y ÊTRE AVEC UN SCOOP. SINON, J'EN AI UN QUE JE ME FERAI UNE JOIE DE DIFFUSER !!

CLIC !

ALORS... COMMENT QUE ÇA SE PASSE BIEN ?

ÇA NE SE PASSE PAS BIEN DU TOUT ! JE NE SUIS JAMAIS VENU EN PALOMBIE, ET ENCORE MOINS AU COUCHOMBAKITA !!

JE SAIS ! COUCHOMBAKITA EST UN JOUEUR DE FOOT... ET C'EST VOUS QUI ÊTES UN MENTEUR !

SI JE NE SUIS PAS À L'ANTENNE DANS 19 MINUTES AVEC UN SCOOP, JE SERAI UN HOMME FINI !!

ET C'EST LÀ QUE JE SUIS CENSÉ ME METTRE À PLEURER ?

JE... JE SUIS UNE ESCROQUERIE !

ÇA, C'EST PAS UN SCOOP !

42.B.

C'EST JOLI, ÇA. VOUS M'EN METTREZ UN PEU PARTOUT !

ET MOI, COMMENT ME TROUVEZ-VOUS ?

JEUNE ET BEAU !

PCHIIT !

PCHIIR !

44

44A

44B.

45.A.

45.B.

47

ALORS, ON FAIT MOINS SON MARSU, SANS LA QUEUE !?

TIENS, DÉGUSTE ÇA !

HOUBA ! HA ! HA ! HA !

DZZZIIIT !

COMMENT ÇA, "HOUBA ! HA ! HA ! HA !" ?! ...PUISSANCE MAXIMALE !

DZZIIITT !

HI ! HI ! HA ! HA ! HA !

KLAK !

47A.

MAIS !?!... C'EST PAS DU TOUT PRÉVU, ÇA !!!

HOUBA ! DZIIIT ! HA ! HA !

HI ! HI ! HI !

KLONK !

DZZIIIT

ET MAINTENANT ?!... TU VAS FAIRE QUOI AVEC TES DEUX NEURONES DE PRIMATE ?...

AAAAHH !!

DZZIIIT !

ON EST EN PLEIN DANS LA PROPHÉTIE !

...POCHERO EST LA FEMME D'OR ET D'ARGENT, L'HOMME À LA MAIN CARRÉE, C'EST VOUS, ET MOI, JE SERS À FAIRE LE TROISIÈME PAS PAYA !...

...J'AURAI BIEN MÉRITÉ MES 165.000 PALOMBOS !

160 !

47B.

ON EST À COMBIEN DE TV PALOMBIA ?

ALLÔÔÔ, LA TERRE ?... ÇA VOUS INTÉRESSE, LA PROPHÉTIE ?! JE VOUS RAPPELLE QUE SI ON ÉCHOUE, "EL SOMBRERO" CRACHERA DU FEU PENDANT MILLE ANS !

ON EST À COMBIEN ?!?

10 MINUTES ! TOURNEZ À DROITE, JE VEUX EMBRASSER MES ENFANTS !

PAS QUESTION !

49

48A

48B

CHAUFFARDS!

KWÉÉK!

VOUS ÊTES DES LÂCHES DE VOUS ATTAQUER À DES PLUS PETITS!

49.A.

C'EST POUR ÇA QU'ON S'ATTA-QUE À EUX. PARCE QU'ILS SONT PETITS.! TU AS L'ARGENT?

HA, HA, HA!

HI, HI, HI!

ILS VONT TUER KIKI.!!

PERSONNE NE FERA DE MAL À KIKI, PARCE QUE JE VAIS AVOIR L'ARGENT.! J'AI RÉUSSI À FILMER UN MARSUPILAMI ET LA TÉLÉVI-SION VA DIFFUSER LES IMAGES DANS QUELQUES MINUTES.!... VOICI LA PREUVE QUE JE NE SUIS PAS UN MENTEUR.!!

LA CASSETTE.!?!? C'EST MOI QUI AI LA CASSETTE.!!

RÉGIE FINALE... ICI, CHIQUITO...

LE DIRECT DÉBUTE DANS TROIS MINUTES ET TOUJOURS PAS DE DAN GÉRALDO!

DAN GÉRALDO

VRRAAAA

TV PALOMBIA

FONCE, SERGIO! CROIS EN TOI!

QUELQUES ANS

49.B.

MAIS, QUE FABRIQUE MON FILS, BON SANG? C'EST UNE CATASTROPHE.!!

NE VOUS EN FAITES PAS. J'AI CALÉ UN AUTRE SCOOP S'IL N'ARRIVE PAS À TEMPS!

QUE... QUEL AUTRE SCOOP.?!?

JE VOUS EN LAISSE LA SURPRISE. VOUS...

JE SUIS LÀ!! JE SUIS LÀ!

REGARDEZ BIEN, LES ENFANTS.!... VOUS ALLEZ VOIR QUE PAPA N'EST PAS UN MENTEUR!!

IL N'Y A PAS D'IMAGES!

ON A ÉTÉ ENTERRÉS PAR UNE TRIBU DE PAYAS, EMPOISONNÉS AVEC DES BAIES ROUGES, AVANT D'ÊTRE RELÂCHÉS PARCE QUE NOUS SOMMES DES DIEUX, EN FAIT.! NOUS AVONS...

IL N'Y A PAS D'IMAGES SUR LA CASSETTE!!

51A.

QU'AVEZ-VOUS FOUTU AVEC CETTE CAMÉRA ?!?

VOUS AVEZ APPUYÉ SUR QUEL BOUTON, POUR FILMER?

MON FILS!

RIWAÏND... POURQUOI?

REWIND ?!...

OUI, COMME DANS "RIZ" AVEC "WAÏND" APRÈS.

VOUS AVEZ DÛ ESSAYER "EFFACER".? C'EST UN CHOUETTE BOUTON AUSSI, CELUI-LÀ!

RESTEZ AVEC NOUS. "V8" REVIENT, APRÈS UNE COURTE PAUSE PUBLICITAIRE.

PUB

VOUS ÊTES VIRÉ, GÉRALDO! APRÈS LA PUB, JE BALANCE VOTRE REPORTAGE D'ESCROC POUR QUE LE MONDE ENTIER SACHE QUE VOUS ÊTES UN JOURNALISTE-BIDON.!

MON FILS N'EST PAS UN TOCARD, CLARISSE!

ATTENDEZ DE VOIR LA SUITE DU PROGRAMME, VOUS NE SEREZ PAS DÉÇU!!... OU PLUTÔT SI, VOUS SEREZ TRÈS DÉÇU!!

?!!

51B.

FINI POUR LA PUB, CLARISSE... C'EST À TOI!

EN DÉBUT D'ÉMISSION, JE VOUS ANNONÇAIS UN NUMÉRO DE "V8" EXCEPTIONNEL. VOTRE CIMNE TENANT TOUJOURS SES PROMESSES, NOUS AVONS DÉCIDÉ DE VOUS DÉVOILER LE VRAI VISAGE...

...DE DAN GÉRALDO.

LES OEUFS!!... C'EST UNE SUPER-PREUVE, ÇA, LES OEUFS!!

ILS ONT DES ŒUFS, CLARISSE!

NOTRE ÉQUIPE EN PALOMBIE ME COMMUNIQUE UNE INFORMATION DE DERNIÈRE MINUTE...

...REJOIGNONS CHIQUITO POUR EN SAVOIR PLUS.

C'EST À VOUS, DAN!

POU...POUR COMMENCER, JE... JE VOUDRAIS REMERCIER MON PÈRE, QUI A TOUJOURS CRU EN MOI ET LUI DIRE À QUEL POINT JE... JE SUIS FIER DE LUI.

LES MARSUPILAMIS SONT DES MAMMIFÈRES, MAIS LA MARSUPILAMETTE POND DES ŒUFS COMME CELUI-CI!

52 A.

JE VOUDRAIS LU DIRE AUSSI QUE J'AI TRUQU PREMIER REPO ET QUE JE LUI DEMANDE PARI

C'EST COMME POUR L'ORNITHORYNQUE, MAIS EN JAUNE AVEC DES TACHES NOIRES!

QU'A DIT MON FILS?... ON NE L'A PAS ENTENDU!

MAIS...VOUS AVEZ DONC PRIVÉ CES PAUVRES PETITES BÊTES DE LEURS FUTURS BÉBÉS?!?...

NOOON, C'EST BEAUCOUP PLUS COMPLIQUÉ! SI ON NE SAUVE PAS LES MARSUPILAMIS, ON VA TOUS MOURIR À CAUSE DE LA PROPHÉTIE PAYA!!

C'EST DÉJÀ FAIT POUR VOUS, DAN!...VOUS ÊTES MORT!

KRRRR...

LE VOLCAN!! LA MALÉDICTION DE CHICXULUB COMMENCE!!

C'EST UN VOLCAN EN CARTON-PÂTE!

BROOOLOLOLOMM!...

KRAAA!

HOUBAAA!

KRAAAK!!

52B.

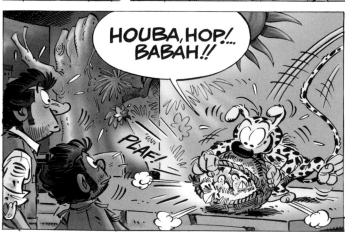

HOUBA, HOP!...BABAH!!

PLAF!

HOUBA, HA, HA, HA!!

BAHOU...BAHOUBA!

53A

53B

55

57A.

57B.

58A

58B.

59A.

59.B.

LES PETITS MARSUPILAMIS ADORENT LES PÉTALES DE L'ORCHIDÉE DE CHICXULUB. ILS NE LE SAVENT PAS ENCORE, MAIS CHAQUE BOUCHÉE LES EMPLIT D'UNE FORMIDABLE VITALITÉ !...

...VIENDRA LE JOUR OÙ, MUS PAR L'INSTINCT, ILS FERONT DE MÊME AVEC LEURS BÉBÉS... ...EN ATTENDANT, LAISSONS-LES À LEUR INTIMITÉ ET RENDONS À L'IMMENSE JUNGLE PALOMBIENNE TOUT SON MYSTÈRE !...

60AI.

60AII

60B.

Une surprise d'Alain Chabat vous attend au dos de cette page

DESSIN DE ALAIN CHABAT.